María Isabel Sánchez Vegara

Pequeño & GRANDE
BRUCE LEE

ilustrado por
Miguel Bustos

ALBA

El pequeño Jun-Fan era un niño chino y californiano.
Nació en San Francisco y Bruce era su nombre americano.

Su familia se trasladó a Hong Kong
y Bruce cumplió su primer sueño.
Allí se convirtió en un niño actor
siendo todavía muy pequeño.

Pero Bruce era un mal estudiante y el colegio se le daba fatal.
Su único interés era aprender *wing chun*, un viejo arte marcial.

Bruce se atrevió también con el kungfú, la esgrima y el boxeo.
Y como experto bailarín de chachachá ganó muchos trofeos.

KUNG
FU

Un día la policía le detuvo por meterse en líos con pandilleros. Sus padres decidieron que lo mejor era enviarle a estudiar al extranjero.

Aquella noche Bruce prometió convertirse en una persona mejor. Y aprender de todos los errores cometidos en su vida anterior.

Llegó a una universidad de Estados Unidos y estudió Filosofía.
Aunque también daba clases de *wing chun* y escribía poesía.

N-O

Bruce creó el *jeet kune do,* su propio método de combate.
Abrió tres escuelas que se convirtieron en su mejor escaparate.

En el mundo de las artes marciales no había nadie más veloz.
Con unos palillos, Bruce atrapaba en el aire un grano de arroz.

Bruce probó suerte en Hollywood actuando en una serie de televisión. Pero para hacer pelis de artes marciales debía volver otra vez a Hong Kong.

HE
GREEN
HORNET

Pronto sus películas eran conocidas por cualquier espectador.
Peleaba con la gracia de un bailarín y el encanto de un actor.

Bruce trabajaba cuerpo y mente y para muchos era un gurú.
Volvió a Hollywood, donde puso de moda las películas de kungfú.

Y el pequeño Bruce se convirtió
no solo en un ídolo para los demás,
sino en la buena persona que
quiso ser muchos años atrás.

BRUCE LEE

(San Francisco, 1940 - Hong Kong, 1973)

1940

1950

Lee Jun-Fan nació el año del Dragón en un hospital de San Francisco. Una enfermera le puso el nombre de «Bruce». Sus padres estaban de gira en Estados Unidos con la ópera china, pero en la década de 1940 se mudaron a Hong Kong. Actuó desde pequeño en una veintena de películas. De joven empezó a practicar artes marciales como el *wing chun* y también fue bailarín y campeón de chachachá. Pero su adolescencia fue complicada y se empezó a meter en líos con pandillas locales. Sus padres, preocupados por sus continuas peleas, decidieron enviarle a Estados Unidos. Allí comenzó a trabajar como instructor de danza y terminó la escuela secundaria. Luego se matriculó en la universidad para estudiar Filosofía, y a la vez enseñaba artes marciales. Finalmente abrió su propia escuela de artes marciales. Le encantaba enseñar a sus alumnos un estilo que había creado

1966

1979

él mismo llamado *jeet kune do.* Era una mezcla de kungfú antiguo, esgrima, boxeo y filosofía. En una exhibición de artes marciales fue descubierto por unos productores de televisión. Participó en la serie *El avispón verde* como actor secundario. Después de que se cancelara, luchó por encontrar trabajo en el mundo de la interpretación. Entonces, se mudó a Hong Kong y protagonizó películas que batieron récords de taquilla. Utilizó este éxito para montar su productora y escribió, dirigió y protagonizó sus propias películas. *Operación Dragón* fue un gran éxito en Estados Unidos y se convirtió en una estrella de cine internacional. Por desgracia, murió repentinamente poco después, con tan solo treinta y dos años. Gracias a sus películas y a su carisma, Bruce consiguió que su pasión por las artes marciales se extendiera por todo el mundo.

Otros títulos de la colección

Coco Chanel

Frida Kahlo

Audrey Hepburn

Amelia Earhart

Agatha Christie

Marie Curie

Ella Fitzgerald

Dian Fossey

Gloria Fuertes

Ada Lovelace

Jane Austen

Georgia O'Keeffe

Anne Frank

Harriet Tubman

Teresa de Calcuta

Simone de Beauvoir

Muhammad Ali

Stephen Hawking

Carmen Amaya

Jane Goodall

David Bowie

Josephine Baker

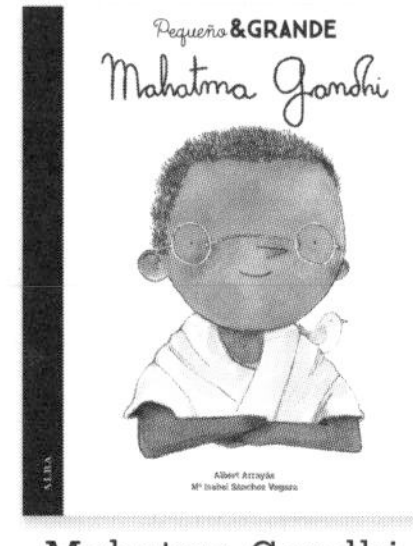

Mahatma Gandhi

L. M. Montgomery

Maria Montessori

Federico G. Lorca

Rudolf Nuréiev

Rosa Parks

Vivienne Westwood

Mary Shelley

Mi PRIMER Pequeña&GRANDE (Libros de cartón)

Coco

Frida

Audrey

Amelia

Agatha

Marie

Ella

Dian

Gloria

Ada

Jane

Teresa

Pequeño & GRANDE

Idea original de la colección de
María Isabel Sánchez Vegara

Diseño de colección: Joel Dalmau

Alba Editorial, s.l.u.
Baixada de Sant Miquel, 1, 08002 Barcelona
www.albaeditorial.es

Primera edición: noviembre de 2019

ISBN: 978-84-9065-597-9
Depósito legal: B-23.191-2019
Impresión: Liberdúplex, s.l.
Ctra. BV 2241, km 7,4 Polígono Torrentfondo
08791 Sant Llorenç d'Hortons (Barcelona)

Créditos fotográficos (de izquierda a derecha)

Bruce Lee con sus padres, c. 1940 © Alamy Stock Photo

Bruce Lee de niño, 1950 © Alamy Stock Photo

Retrato de Bruce Lee, 1958 © Alamy Stock Photo

Bruce Lee en un fotograma de la película *Operación Dragón*, 1973
© Everett Collection / Cordon Press

Impreso en España

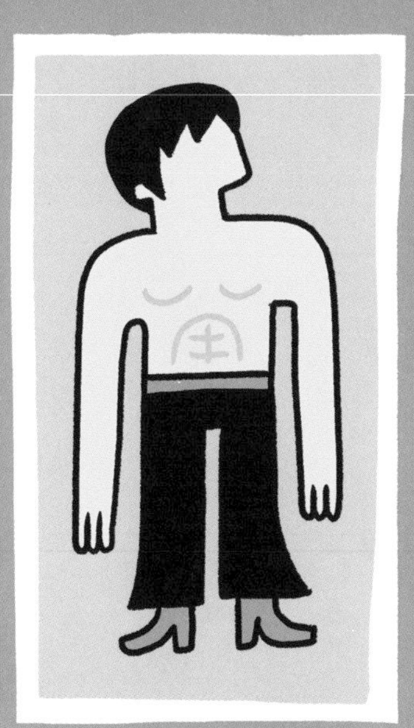

BRUCE LEE